CUENTA QUE TE CUENTO

María de la Luz Uribe

Ilustraciones de Fernando Krahn

Editorial Juventud - Provenza, 101 - Barcelona

EL REY de PAPEL

Una tarde de paseo
me tropecé con un rey
magnífico y elegante,
pero todo de papel.

Haciéndome una gran venia,
este rey que me encontré
me regaló su corona,
que era toda de papel.

Me dijo: "En esta jirafa
iremos a recorrer
mi reino". Y juntos nos fuimos.
Y todo era de papel.

Lo primero que encontramos
fue un inmenso, enorme buey,
que estaba comiendo un sapo;
buey y sapo de papel.

Después pasamos un túnel
y allí se puso a llover
gotitas de oro y de plata.
Y todo era de papel.

El rey abrió un gran paraguas
y yo me escondí bajo él;
me dijo: "No te preocupes,
porque todo es de papel".

Y llegamos al palacio.
Más lindo no puede ser...
Lleno de torres, campanas
y princesas de papel.

Diez princesitas había,
las diez hijas de este rey.
Todas lindas, delicadas,
pero todas de papel.

La princesa más chiquita,
que se llamaba Mabel,
cuidaba flores y plantas,
todas, todas de papel.

Y las otras princesitas,
tirando un largo cordel,
cerraban firme la puerta,
que era también de papel.

"¿Por qué tanto cerrar puertas?",
le pregunté a mi buen rey.
"Ay, hija mía —me dijo—.
Somos todos de papel.

Si alguien quiere nos arruga;
nos pueden hasta romper,
o tirarnos, o quemarnos,
porque somos de papel".

"Entonces, déme —le dije—,
déme rápido un pincel;
tal vez yo pueda salvar
a este reino de papel".

Me dieron pincel, colores,
pero papel no encontré:
todo eran flores, manteles,
sillas, mesas de papel.

Pero el rey me dio su espalda,
y ahí escribí un gran cartel:
"Prohibido, no se rompa,
porque todo es de papel."

BARCO en el PUERTO

Corría el aire, corría,
del mar al puerto.
Y un barco azul navegaba
en el mar abierto.

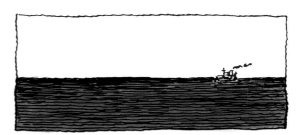

Y un capitán que era chico
como tus dedos
mandaba el barco, mandaba
con sólo un gesto.

Crecía el barco, crecía
llegando al puerto.
Y el capitán ordenaba
a sus marineros.

Y todos, que eran pequeños
como tus dedos,
todos habían crecido
llegando al puerto.

Cantaban todos, cantaban
los marineros.
Y era grande el capitán,
y el barco, inmenso.

Porque todo lo que chico
se ve de lejos,
llega a ser grande de cerca;
barco en el puerto.

La Señorita Aseñorada

Estera y esteritas
para contar peritas;
estera y esterones
para contar perones.

Ésta era una vez
una señorita
con sombrero blanco
y muchos botones.

Y esta señorita
tan aseñorada,
nunca se reía
y siempre lloraba.

Pasó un caminante:
"¿Por qué lloras, niña?"
"Porque ya no tengo
lo que antes tenía".

"¿Pero qué tenías?"
"Tenía una rana
que todas las noches
cro-cro-cro cantaba".

"¿Dónde está la rana?"
"Se fue a la laguna".
"¿Y esa lagunita?"
"Está llena de agua".

"¿Y dónde está el agua?"
"Se fue por el río".
"¿Y el agua del río?"
"Hasta el mar llegaba".

Pobre señorita
de sombrero blanco.
Pobre señorita
tan aseñorada.

"Yo te doy mi mano,
que es como una rana,
y mi amor te doy,
puro como el agua.

"Y si quieres siempre
te puedo cantar
cro-cro-cro en la noche
como aquella rana".

Y el buen caminante,
puesto en cuatro patas,
se puso a cantar
cro-cro, como rana.

Y esta señorita
tan aseñorada
miró al caminante
y ya no lloraba.

Y le dio la mano
mientras lo miraba
y olvidó el cro-cro
y olvidó la rana.

Y esta señorita
de sombrero blanco,
con su caminante
se reía tanto...

que se le cayeron
todos los botones.
Y se acabó el cuento,
señoras, señores.

DON CRISPÍN

Don Crispín es bailarín,
cantarín y saltarín;
flaco como un tallarín,
y usa un pelu-peluquín.

A la plaza de Quintín
llega alegre don Crispín;
abre el male-maletín,
saca un calce-calcetín.

Con su corba-corbatín
y en la mano un maletín,
empolvado polvorín
sale un día don Crispín.

Llena el calce-calcetín
de ase-de ase-de aserrín;
le pone su peluquín
y es un muñe-muñequín.

En un bala-balancín
ha sentado al muñequín;
a su frente, don Crispín
toca el vio-vio-vio violín.

"Rin-tin-tin" hace el violín;
sube y baja don Crispín;
y el muñeco colorín
baja y sube: "Rin-tin-tin".

Pasa un vola-volantín
y a él se engancha don Crispín;
cuelga el muñe-muñequín,
el maletín y el violín...

Y así vuela don Crispín,
el muñeco, el muñequín,
su maletín, su violín,
y vuela sin fin, sin fin.

Fin.

El Soldado Trifaldón

El soldado Trifaldón
vive dentro de un melón,
las semillas amarillas
forman firme el batallón.

Su espada es de chocolate,
su escopeta es de turrón,
de caramelo el sombrero
del soldado Trifaldón.

Un día va de paseo
con todo su batallón;
va marchando por el campo
el soldado Trifaldón.

Un ejército de hormigas
en correcta formación
se encuentra con los soldados
del soldado Trifaldón.

El que manda las hormigas
es un capitán gruñón.
"¡Alto!", dice a los soldados
del soldado Trifaldón.

"Dame todo lo que sea
dulce, agridulce o dulzón",
dice la hormiga, furiosa,
al soldado Trifaldón.

Trifaldón mira su espada,
su escopeta, el batallón:
todo es dulce lo que lleva
el soldado Trifaldón.

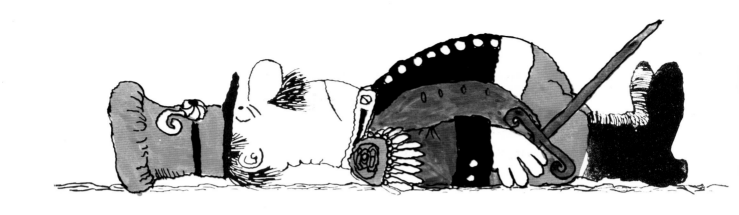

Y dice: "Un momentito;
no se enfade tanto, don;
somos el gran regimiento
del soldado Trifaldón."

Pero el capitán Hormiga,
sin más, le da un coscorrón,
y cae de espaldas al suelo
el soldado Trifaldón.

Pero muy pronto se alza
valiente como un león
y desenvaina su espada
el soldado Trifaldón.

Y aunque ésta es de chocolate,
logra hacerle un gran chichón
a la Hormiga capitana
el soldado Trifaldón.

¡Ja! Las semillas se ríen
al ver a este hormigón
con el cardenal que le hizo
el soldado Trifaldón.

Pero Trifaldón las calla
viendo que un gran lagrimón
está llorando la Hormiga;
y el soldado Trifaldón

se acerca, toma la Hormiga;
luego le pide perdón:
semillas y hormigas aplauden
al soldado Trifaldón.

Y desde entonces van juntas,
batallón con batallón,
las semillas, las hormigas,
mandadas por Trifaldón.

Porrom-pom-pom,
mandadas por Trifaldón.

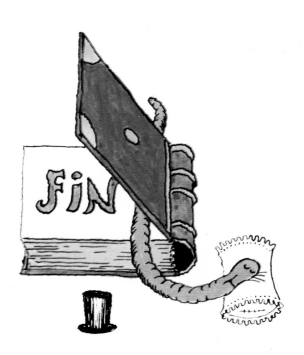

María de la Luz Uribe, maestra Montessori, escritora,
y Fernando Krahn, humorista e ilustrador
que colabora en diversos periódicos de Europa,
están casados, tienen tres hijos y residen
en Sitges desde 1973.
Son autores de más de quince libros para niños,
publicados en España, Venezuela y Estados Unidos.
Han recibido en conjunto el «Premi Apel·les Mestres» de 1982
y el «Premio Austral de Literatura Infantil» de 1986.

© María de la Luz Uribe, 1979
   Editorial Juventud, Barcelona, 1979
Cuarta edición, 1990
Depósito Legal, B. 24.663-1990
ISBN 84-261-2488-7
Núm. de edición de E.J.: 8.376
Impreso en España - Printed in Spain
T.G. Hostench, S.A. Córcega, 231-233. 08036 Barcelona